Y Model Perffaith

Y Model Perffaith

Stori Dylan Williams
yn seiliedig ar sgript wreiddiol Meinir Lynch

Lluniau Cynyrchiadau Siriol

CYMDEITHAS LYFRAU CEREDIGION Gyf

Roedd Sali Mali am beintio llun, ac roedd angen model arni.

'Hmm . . . tybed pwy fyddai'n fodlon i mi dynnu ei lun?' meddai.

'Crawc! Crawc!' meddai llais uchel o'r tu ôl i Sali Mali. 'Craaawc! Craaawc!'

'Jac Do!' meddai Sali Mali. 'Hoffet ti fod yn fodel imi?'

Doedd dim rhaid gofyn ddwywaith.

'Craw-wawc!' meddai'r aderyn bach yn llawen.

‘Wel twtia dy hun o flaen y drych a thyrd i eistedd ar y stôl,’ meddai Sali Mali.

Edrychodd Jac Do yn y drych ac – O! – dyna aderyn del, clyfar a smart oedd o.

‘Crrr-wa-wawc,’ meddai’n hapus.

'Cofia,' rhybuddiodd Sali Mali wrth ddechrau peintio, 'rhaid i ti fod yn hollol lonydd.'

'Crwwwc,' meddai Jac Do heb agor ei big. Roedd yn benderfynol o gadw'n hollol lonydd. 'Crwwwc.'

Craffodd Sali Mali yn hir ar wyneb Jac Do. 'Hmm . . .' meddai, gan ddechrau peintio.

Edrychodd ar bob manylyn ar ei blu. 'Ymm . . .' meddai, gan beintio ychydig mwy.

Syllodd Sali Mali am hydoedd ar lygaid Jac Do. 'Www . . .' meddai, gan beintio eto byth.

A thrwy'r cyfan, eisteddodd Jac Do'n hollol lonydd.

PING! Yn sydyn sbonciodd pluen fawr lasddu i fyny ar ben Jac Do.

'Eistedd yn llonydd!' brathodd Sali Mali.

Cododd Jac Do ei adain i dwtio'i bluen.

'Paid â symud!' brathodd Sali Mali eto.

Ochneidiodd Jac Do.

Yna, BSSS-BSSS, suodd pryfyn o amgylch pen Jac Do. Ni symudodd Jac Do bluen.

Glaniodd y pryfyn ar ben yr aderyn druan a cherdded i lawr dros ei lygad. Ond ni symudodd Jac Do bluen.

Yna, cerddodd y pryfyn ar hyd pig Jac Do, ac ni allai ddal dim mwy . . . !

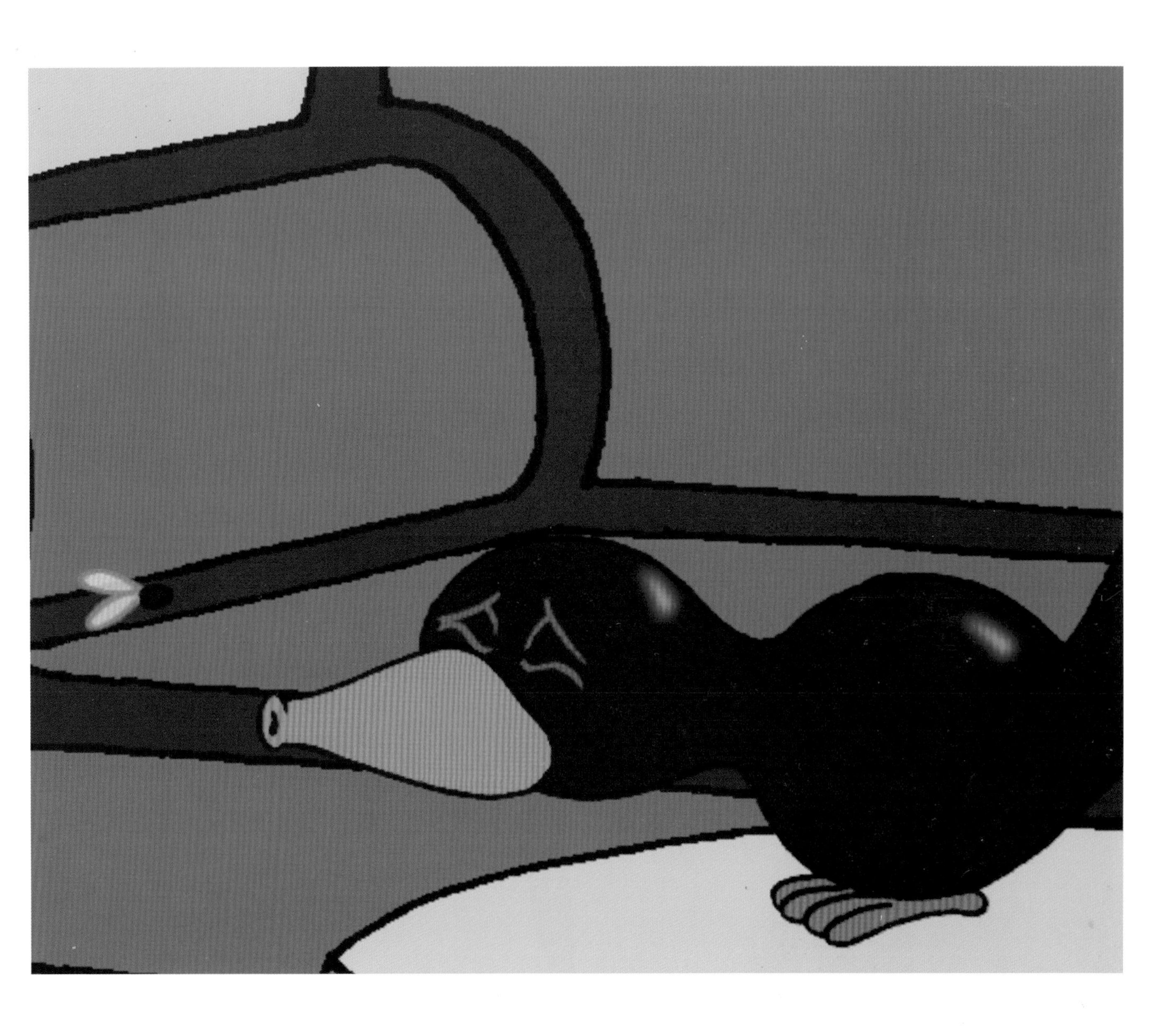

'ATISH-ŴŴŴ!' meddai dros y lle gan syrthio oddi ar ei stôl.

'O, Jac Do,' dwrdiodd Sali Mali. 'Alla i ddim tynnu llun da ohonot ti os wyt ti'n symud trwy'r amser!'

'Cr-e-wc?' holodd Jac Do yn syn.

'Mae'n ddrwg gen i, Jac Do,' meddai Sali Mali, 'ond bydd rhaid i mi chwilio am fodel arall.' A cherddodd allan o'r ystafell.

'Cr-ooo-wc,' meddai Jac Do braidd yn ddig. Teimlai ei fod wedi cael cam. Doedd ganddo ddim help am y bluen wirion ar ei ben na'r pryfyn dwl a gerddodd hyd ei big.

Aeth at y llun i weld gwaith Sali Mali.

'CR-EI-OWC!' sgrechiodd. Roedd llun Sali Mali ohono'n *ofnadwy*!

Yn lle edrych yn ddel, edrychai'n flêr.
Yn lle edrych yn glyfar, edrychai'n dwp.
Yn lle edrych yn smart, edrychai'n wirion.

Doedd Jac Do ddim yn hoffi'r llun o gwbl, felly aeth i nôl bocsaid o baent a phapur glân a mynd i weithio y tu ôl i'r gadair.

Fe ddangosai ef i Sali Mali sut y dylai Jac Do edrych mewn llun.

Pan ddaeth Sali Mali'n ôl i'r tŷ roedd Jac Do wedi gorffen peintio.

Ond roedd gan Sali Mali fodel arall . . .

'Eistedd ar y stôl, Jaci Soch,' meddai Sali Mali, 'dwi'n mynd i beintio dy lun di.'

'So-ho-ho-och!' rhochiodd y mochyn yn llawen.

Ond doedd Jac Do ddim yn llawen o gwbl.

'Rwyt ti'n fodel gwych,' meddai Sali Mali wrth Jaci Soch. 'Yn llawen ac yn llonydd.'

'Crrrr-ewc,' meddai Jac Do yn flin o dan ei wynt. Fe gâi Sali Mali weld pa mor llonydd oedd Jaci Soch.

Sbonciodd Jac Do allan o'r ystafell yn dawel bach a dod yn ôl a dwster pluog yn ei big. Cripiodd y tu ôl i Jaci Soch . . .

. . . a dechreuodd ei gosi! Cosi-cosi-cosi.

'So-hi-hi-hi-och!' gwichiodd y mochyn bach yn sydyn, gan wingo a chynrhoni. 'So-ha-hi-ho-och!'

'Jaci Soch?' holodd Sali Mali'n syn. 'Beth sy'n bod?'

Ddywedodd Jaci Soch ddim gair, dim ond chwerthin dros y lle. 'So-hi-hi-hi-och!'

Yna gwelodd Sali Mali y dwster plu ym mhig Jac Do.

'O, Jac Do,' meddai. 'Dyna un drwg wyt ti! Ond dwyt ti ddim wedi difetha llun Jaci Soch. Roeddwn i newydd ei orffen.'

Roedd y mochyn bach wrth ei fodd. Yn y llun edrychai'n hapus ac yn hardd dros ben.

'Crawc,' meddai Jac Do'n uchel. Roedd ganddo ef lun hardd hefyd.

Dangosodd Jac Do y llun a dynnodd.

'Dyma aderyn smart gynddeiriog. Pwy yw hwn?' holodd Sali Mali. 'A phwy dynnodd lun mor ardderchog?'

'Cr-e-wc,' meddai Jac Do'n falch.

'Wel, mae Jac Do wedi creu campwaith efo'r llun hwn, 'ndo, Jaci Soch?'

'So-o-och,' cytunodd y mochyn siriol.

Y noson honno gludiodd Sali Mali lun Jac Do ar y wal yn ymyl ei wely, a gludiodd lun Jaci Soch ar wal ei dwlc.

'Nos da, Jac Do smart,' meddai Sali Mali.

'Cra-a-awc!' meddai Jac Do'n llawen.

'Nos da, Jaci Soch,' meddai Sali Mali.

'So-o-och-ch-ch!' chwyrnodd Jaci Soch yn fodlon.

Cyhoeddwyd gan Gymdeithas Lyfrau Ceredigion Gyf.,
Ystafell B5, Y Coleg Diwinyddol Unedig, Stryd y Brenin,
Aberystwyth, Ceredigion SY23 2LT.
Argraffiad cyntaf: Hydref 2002

Stori gan Dylan Williams
yn seiliedig ar sgript wreiddiol Meinir Lynch
a ysgrifennwyd ar gyfer Cynyrchiadau Siriol ac S4C.
Cymeriad a grëwyd gan
Mary Vaughan Jones yw Sali Mali.

ISBN 1-902416-75-9

Diolch i adrannau Cyngor Llyfrau Cymru am bob cymorth.
Dyluniad mewnol gan Gary Evans.
Dyluniad y cloriau gan Adran Ddylunio Cyngor Llyfrau Cymru.
Argraffwyd gan Wasg Gomer, Llandysul SA44 4QL.